VillA Alfabet

Kriebels

Reina ten Bruggenkate

educatieve

uitgeverij

Maretak

Villa Alfabet is een leesserie voor de betere lezer van groep 3 tot en met groep 8.
Villa Alfabet oranje is bestemd voor lezers vanaf groep 3.
Een Villa Alfabetboek biedt de goede lezer een uitdagende lees-ervaring en verdiept deze ervaring door het extra materiaal dat in het boek is opgenomen. Daarnaast is bij elk boek materiaal ont-wikkeld dat in een aparte uitgave is verschenen: 'Villa Verdieping'.

STICHTING NEDERLANDSE
KINDERJURY
2003

© 2002 Educatieve uitgeverij Maretak, Postbus 110, 8250 AC Dronten

Illustraties: Harmen van Straaten
Tekst blz. 4, 68, 69, 71: Cees Hereijgens en Ed Koekebacker
Vormgeving: Cascade visuele communicatie, Amsterdam
ISBN 90 437 0120 3
NUGI 140/220
AVI 4

Inhoud

1 Lekker dollen 5

2 Plakhanden 11

3 Verraad 19

4 Eigen schuld 26

5 Ogen in de nacht 29

6 Genade met slagroom 34

7 Kanjer met kippenvel 37

8 Een nieuw meisje 42

9 Zoenen en zo 46

10 Een reus 50

11 'Ik vind je lief' 54

12 Het is uit 56

13 Feest 59

*(Als je 🏠 tegenkomt, ga dan naar bladzij 71.
En als je het boek uit hebt, kom dan op bezoek in
Villa Alfabet, op bladzij 68-70.)*

Niels is verliefd. Op Britt. Britt past altijd op als
zijn vader en moeder weg moeten. Er gebeurt
iets. En Niels voelt zich ziek en boos. Heel boos.
Op Britt. Worden Niels en Britt weer vrienden?

1 Lekker dollen

'Ho maar!' Niels stopt zijn vingers in zijn oren.
'Stop!' schreeuwt hij. 'Oké, jij wint. Zo lelijk kan
ik niet zingen.'
'Dan is het één-nul voor mij,' zegt Britt. 'Zal ik
nóg iets voor je zingen?'
'Nee, genade,' kreunt Niels.
Samen staan ze voor de spiegel. Niels en de op-
pas Britt.
'Nu ik,' zegt Niels. 'Wie het gekste gezicht kan
trekken.' Met zijn vingers rukt hij aan zijn oren.
Dan steekt hij zijn tong uit en kijkt zo scheel als
hij kan. Zijn ogen doen er pijn van.
Britt schiet in de lach. 'Nu lijk je net een gnoom.'
'Wat is een gnoom?' vraagt Niels.
'Een gnoom? Dat is een aardgeest.'
'Wat is dat?'

'Dat zijn kleine mannetjes met een raar gezicht.'
Britt kijkt heel ernstig.
'Bestaan die echt?'
'Dat weet ik niet,' zegt Britt lachend, 'in het bos
misschien. Maar áls ze bestaan, dan zien ze er zo
uit.'
'Dan staat het nu één-één,' zegt Niels. 'Jij kunt
het beste vals zingen. Maar ik kan het beste een
gnoom nadoen.'
Niels springt op bed. 'En nu voorlezen.'

Britt slaat een arm om hem heen. Ze begint te
lezen. Het boek is zo taai als stroop. Maar dat
geeft niet. Het is zo gezellig samen met Britt.
Wat ruikt ze toch lekker. Vooral als ze zo dicht bij
hem zit. Niels knijpt zijn ogen even dicht. Dan
haalt hij diep adem. In haar haren zit de geur van
de zomer. Het ruikt naar aardbeien.
'Ziezo, bink,' zegt ze na een tijdje, 'dat was het
voor vanavond. Nu is het tijd om te slapen.'
'Nee, niet stoppen. Doorgaan met lezen,' smeekt
Niels.

Maar het boek gaat dicht. 'Ik moet nog leren.
Morgen heb ik een proefwerk,' zegt Britt.
'Nee, alsjeblieft, nog niet,' gilt Niels. Languit valt
hij op bed. Hij gooit zijn benen in de lucht. 'Het
is nog veel te vroeg. Je mag niet weggaan.'
'Ik ga niet weg. Als er iets is, dan roep je maar. Ik
zit in de kamer.' Ze pakt zijn benen en duwt hem
in bed.
'Kom op, nachtuil. Maffen nu.'
'Ga jíj maar maffen,' zegt Niels. Hij komt overeind
en stort zich bovenop de oppas. Zijn vingers
prikken in haar zij.
'Niet doen!' waarschuwt Britt. 'Daar kan ik niet
tegen.'
Maar Niels weet van geen ophouden. Hij port in
haar nek en in haar buik.
Britt verweert zich uit alle macht. 'Hou op, engerd!'
Ze probeert zijn handen te grijpen.
Even let Niels niet goed op. Dan pakt Britt hem
vast en kiept hem omver. Daar ligt hij, op zijn rug
op bed.
'Dat flik je me iedere keer.'

Britts haar hangt nu bijna op zijn borst.

'Zal ik jóu eens kietelen?'

Ze houdt haar handen vlak boven zijn buik.

'Nee!' gilt Niels.

Maar Britts vingers prikken in zijn lijf. Hier en daar en overal, zodat Niels bijna geen adem meer krijgt.

'Genade!' schreeuwt hij ten slotte.

'Genade wat?' vraagt Britt.

'Genade met slagroom,' hikt Niels.

Eindelijk laat ze hem los. Met een zwaai gooit ze zijn dekbed over zijn hoofd.

'Flauw hoor,' moppert Niels.

Britt schudt haar lange haar los.

'De volgende keer pak ik je écht, ventje! Met of zonder slagroom.'

'Wanneer kom je dan weer?'

'Over twee dagen.' Bij de deur blaast Britt een kusje naar hem. Dan gaat het licht uit.

'Britt?'

'Ja?'

'Niks.'

'Slaap lekker, Niels.' De oppas sluit zacht de deur.
'Britt!' schreeuwt Niels.
De deur gaat weer op een kier. 'Wat?'
'Ik vind je lief.'
'Ik jou ook. Trusten, Niels.'

Niels gaat op zijn zij liggen. Hij knuffelt zich
tevreden in zijn kussen. Britt is de leukste oppas
die er is. Vorige week was ze er ook. Wel ander-
half uur of zo zat ze bij hem. Ze had muziek bij
zich. En toen heeft ze gedanst.
'Er is niets aan,' zei ze, 'doe mij maar na.'
Leuk dat het was!
Soms neemt ze kauwgom mee, of paprika chips.
Dan vraagt ze ook altijd hoe het gaat op voetbal.
'Ik ben de beste,' zegt Niels dan. En ze gelooft
hem nog ook. Niels zucht eens diep. De volgende
keer is pas over twee dagen. Was het maar al
zover.

2 Plakhanden

Het regent. Het water druipt in dikke druppels
langs het raam.
'Doe vandaag je warme jas maar aan,' zegt Niels'
moeder. 'En vergeet je gymspullen niet.'
Niels' gezicht betrekt. 'O, bah, gym,' zegt hij. 'Mag
ik niet een keertje thuis blijven? Vandaag gaan
we weer zo'n dom dansje doen.'
Over een paar weken is er feest. Dan bestaat de
school tien jaar. Elke klas moet iets doen. De
groep van Niels moet dansen. Elfjes en kabouters
zijn ze.
Niels geeft een schop tegen zijn schooltas.
'Mam,' zegt hij dan, 'hoef ik niet naar school? Eén
keer maar.'
'Doe niet zo mal,' zegt zijn moeder. 'Dansen is
toch leuk?'

'Leuk?' barst Niels los. 'Ik moet dansen met Ludie!'

'Wat is daar zo erg aan?'

'Alles!' Niels steekt zijn tong uit. 'Ludie heeft vieze handen. Ze plakken en ze stinken. Bah.'

'Niels toch! Dat is niet aardig.'

'Het is echt waar,' zegt Niels, 'ze heeft zweethanden.'

Zijn moeder duwt hem de deur uit. 'Ga nou maar en stel je niet zo aan. Ludie is best aardig. Wie weet, vindt ze jou juist wel erg leuk. Misschien is ze daarom een beetje zenuwachtig.'

Daar is school. Ludie is er al. Ze wacht op hem bij het hek. Waarom hij? Vond ze maar iemand anders leuk.

Niels kijkt expres niet naar haar. Hij rent meteen door naar Jos.

Zijn vriend hangt op zijn kop aan het klimrek. Het is een raar gezicht. Jos is behoorlijk groot. Zijn hoofd raakt bijna de grond.

Niels geeft hem een beuk op zijn rug. 'Hé, Jos,'

zegt hij, 'ik heb een idee.'
Jos gaat rechtop staan. 'Wat dan?' vraagt hij.
'Ik doe niet mee met dat rare dansje,' zegt Niels.
'Ik ga mooi niet voor gek staan. Ik heb mijn tas
met gymspullen thuis laten staan, zeg ik tegen
de juf. Moet jij ook doen.'
'Maar ik vind het best leuk, dat dansen.' Jos
huppelt een paar pasjes over het plein.

'Nee, Jos!' Niels grijpt hem bij zijn jas. 'Jij vindt het óók stom. Dansen is voor meiden. Het is niet stoer.'
'Oh, oké,' zegt Jos. Hij haalt zijn schouders op. 'Mij best. Als jij het zegt...'

Het is pauze geweest.
'Sorry, juf, ik kan niet meedoen,' zegt Niels. Hij doet net of het hem spijt. 'Ik heb mijn gymspullen niet bij me.'
Maar dat vindt juf Annegreet niet erg. Ze duwt hem naar de gymzaal.
'Het kan ook in je gewone broek,' zegt ze.
Aan de ene kant staan de jongens. Aan de overkant staan de meisjes. Kon hij maar met Kim of Joyce dansen. Die hebben geen plakhanden. Maar die staan te ver weg.
'Klaar?' vraagt juf Annegreet.
Ludie doet al een stap naar voren en lacht naar hem.
Snel gaat Niels achter Jos staan. Hij duwt Jos in zijn rug. 'Jij,' zegt hij.

Maar daar trapt Ludie niet in. Ze duwt Jos ijskoud
opzij. 'Ik hoor bij Niels,' zegt ze. 'Ik dans met hem
en niet met jou. Jij bent veel te lomp.'
Juf zet de muziek aan. Ludie steekt haar handen
naar hem uit.
Niels zucht. Ze is ook zó groot. En die plakhanden...

Aan iets anders denken! Aan iets fijns. Aan Britt denken. Met háár zou hij wél dansen. Britt heeft geen natte handen.

Het is een ramp, die hele dans. Ludie is zo sterk als een beer. Ze sleurt hem van links naar rechts. 'Wat kijk je toch boos, Niels.' De juf loopt vragend op hem af. 'Is er iets?'
Niels laat Ludie los. Meteen veegt hij zijn handen af aan zijn broek. Hij wil het wel uitschreeuwen. Het komt door haar zweethanden! 'Ik vind er niks aan,' zegt Niels. Hij staart naar de grond. 'Ik wil geen kabouter zijn.'
'Maar het wordt heel leuk,' houdt juf vol. 'Morgen krijgen de elfjes vleugels. En de kabouters krijgen een baard en een puntmuts. Alles is al klaar.'
'Ik wil geen baard en muts!' mokt Niels.
'Toe nou, Niels, doe niet zo flauw.'
'Nee.' Niels schudt zijn hoofd en kruist zijn armen voor zijn borst. 'Ik doe niet mee!'
Juf Annegreet snapt er niets van. 'Wat wil je dan?' vraagt ze.

'Ik ben geen kabouter. Ik ben een reus,' gromt
Niels. Hij trekt aan zijn oren. Dan steekt hij zijn
tong uit en kijkt scheel. 'Blèèè,' doet hij. 'En ik
vreet alle kabouters op.'
De klas ligt dubbel van de pret.
'Blèèè,' doet Jos nu ook. 'Ik ben de grootste reus.
Waar zijn de elfjes. Ik lust ze rauw.'
Juf Annegreet kan er niet om lachen. 'Dat kan
niet,' roept ze. 'Er komt helemaal geen reus voor
in de dans.'
Nu rennen ze allemaal door elkaar. Niels voorop.
Hij steekt zijn handen uit naar Ludie.
'Ik ben een reus. Ik ga je pakken. Ik vreet elfjes.'
'Stilte,' roept de juf, 'zitten allemaal!'
Ze ziet zo rood als een biet.
Eindelijk wordt het weer rustig.
'Ik snap best dat het moeilijk is,' zegt juf Anne-
greet streng. 'Daarom moet je goed oefenen. Zal
ik het nog eens voordoen?'
Ze zet de muziek weer aan.
Juf pakt Ludies handen. 'Kijk,' zegt ze, 'zo moet
het...'

Nu voelt ze het zelf, denkt Niels, die kleffe
handjes.
Maar de juf merkt niets. Ze draait zich om naar
Niels.
'Zie je?' zegt ze. 'Dansen is juist heel leuk.'

3 Verraad

Straks komt ze. Niels heeft zijn pyjama al aan. Hij
staat op zijn bed, voor het raam. Als Britt de
straat inrijdt, zal hij zwaaien. Dat doet hij altijd.
Zijn ouders gaan naar het theater. Mam heeft
zich al mooi gemaakt. Of hij het niet erg vond,
vroegen ze.
Erg? Tuurlijk niet, dolle pret wordt het!
Niels schuift het gordijn opzij. Daar komt ze! Hij
ziet het licht van haar fiets al.
'Mam, pap... daar is Britt,' roept hij.
Niels wil van zijn bed springen. Maar dan... wat is
dat? Dat is Britt helemaal niet. Het is een
jongen. Hij zit op haar fiets. En Britt dan? Die zit
achterop.
Vlak voor de deur springt ze van de fiets. Ze kijkt
meteen omhoog. Hoi, Niels, zwaait ze. De jongen

kijkt ook. Ook hij steekt zijn hand op.
In een reflex trekt Niels het gordijn dicht. IJskoud voelt hij zich worden. Ze heeft een jongen
bij zich! Hoe kan ze dat nou doen!

'Dit is Chris,' zegt Niels' vader. 'Britt vroeg of hij
mee mocht komen. Gezellig, hè?' Hij zet twee
glazen neer en een fles cola. 'Veel plezier samen,'
zegt hij, 'maar pas wel goed op onze Niels.'
De jongen is groot. Hij lijkt wel een reus. Er zit al

een beetje snor op zijn lip. Hij heeft een wijde broek aan. En wat een enorme schoenen!

Niels blijft stokstijf staan. Een kabouter voelt hij zich, een dwerg in pyjama.

'Britt zegt dat je voetbalt,' begint Chris. 'Ik voetbal ook. Waar speel jij?'

Dat gaat je niks aan, wil Niels zeggen. Wat doe je hier! Hoepel op! Britt is van mij!

Hij klemt zijn lippen stijf op elkaar.

Britt glimlacht naar hem. Wat een verraad. Met een ruk draait Niels zich om en hij rent naar boven.

Daar laat hij zich op zijn bed vallen. Krijsen wil hij, met zijn vuisten in het kussen slaan.

Maar dan hoort hij Britts stem. 'Hé, Niels, wat is er nou?'

Niels schiet overeind. Ze mag niet zien dat hij huilt. Dat zou kinderachtig zijn.

'Niks,' mompelt hij, 'ik ga slapen.'

'Wat nou, geen verhaaltje? Geen paprika chips?'

'Ik voel me niet lekker. Buikpijn,' verzint Niels snel.

Britt gaat naast hem zitten. Zacht aait ze over zijn hoofd. 'Wat naar. Daar heeft je moeder niets van gezegd.'
Niels trekt zijn zieligste gezicht.
'Zal ik warme melk voor je maken?'
Niels knikt. 'Kom je dan weer boven?'

Daar ligt Niels, in zijn bed met een buik vol warme melk. Nu is hij pas echt misselijk. Even leek alles weer normaal. Toen ze op de rand van zijn bed zat. Maar het wás niet normaal, want beneden wachtte die Chris.
Zag ze dan niet hoe boos hij was?

Beneden hoort hij de stemmen van de tv. Daar tussendoor klinkt de hoge lach van Britt en de zware stem van Chris.
Wat een afgang. Nu zitten zíj met de chips en de cola.
Moet Britt nu geen huiswerk maken? Zou Chris haar nu kietelen? Hij moet er niet aan denken.
Niels drukt het kussen tegen zijn oren. Nog nooit

heeft hij zich zó alleen gevoeld.
Weer die schaterlach van Britt. In één sprong is
Niels uit zijn bed. Hij rent de trap af.
Stil nu, want ze mogen hem niet horen.
De deur staat gelukkig op een kier.
Ze zitten op de bank. Wat doen ze nu? Niels
houdt zijn adem in. Chris heeft zijn arm om Britt
heen geslagen. Ze lacht naar hem. Hij fluistert

iets in haar oor. Dan buigt Chris zich naar haar. O,
nee hè... Ze zoenen!
Blijf van haar af! wil hij roepen.
Met een zwaai gooit Niels de deur open. 'Zo kan
ik niet slapen,' snauwt hij. 'Jullie maken veel te
veel herrie.'
'Hé, Niels,' zegt Chris verrast. 'Ben je weer oké?
Kom je er ook bij zitten?'
'Nee,' gromt Niels, 'er zit een mug in mijn kamer.'
'Een mug?' vraagt Chris. 'In deze tijd? Dat lijkt me
sterk.'
'Wacht,' zegt Britt. Ze staat op van de bank. 'Ik
ben kampioen in muggen meppen.'
Ze loopt met hem mee.
'Daar,' zegt Niels. Hij wijst naar een vage plek op
het behang.
'Dat is geen mug. Dat is een vlek.'
'Daar gaat hij.' Niels' vinger prikt ergens in de
lucht.
Britt klimt op zijn bed. 'Je ziet spoken. Ik zie
echt niks.'
Ze springt op de grond. 'Ga nou maar slapen.'

'Er zit een vouw in mijn laken.'

'Waar dan?'

'Daar,' wijst Niels.

'Ik zie niks,' zegt Britt. Ze trekt aan het laken.

'Weet je wat jij bent?' zegt ze. 'Een echte gnoom.
Dag Niels. Trusten.'

'Wacht. Ik heb dorst,' schreeuwt Niels. Maar Britt
is alweer op weg naar beneden.

Op zijn tafel ligt een vel papier. Niels pakt een
viltstift. De stift piept nijdig over het papier,
Britt, ik vind je stom! schrijft Niels. Kwaad smijt
hij de stift op de tafel.

Dan sluipt er een plan in zijn hoofd. Dat is het!
Britt moet maar eens flink schrikken.

Niels glipt in zijn schoenen. Zacht loopt hij de
trap af naar de voordeur. Die zit niet op slot. Snel
trekt hij zijn jas aan. Nog een keer kijkt hij
achterom. Ze horen hem niet eens. De deur blijft
open staan. ♠

4 Eigen schuld

Het is doodstil op straat. Gek idee is dat. Nu
zitten zij op hem te passen, maar híj loopt
buiten. Zou Britt het snel merken?
Waarom komt ze hem nou niet meteen zoeken?
Niels aarzelt. Misschien had hij meer geluid
moeten maken. Wedden dat ze dan wél kijken?
Hij rent terug naar huis. Vlak voor het raam blijft
hij staan. Daar zitten ze, Britt en Chris. Ze kijken
televisie. Chris' arm zit stevig om Britt.
Niels loopt langs het raam. Ze zien hem nog
steeds niet.
Hij zwaait met zijn armen. Dat is te gek. Staat hij
als een kangoeroe te huppen... zien ze hem niet
eens!
Daar baalt hij goed van. Hij raapt een steentje
op. Dat gooit hij naar het raam.

Het helpt, want Chris kijkt even op. Maar daar
blijft het bij. Niels snapt het al. Zíj zitten in het
licht, maar buiten is het donker. Ze kúnnen hem
niet zien.
De voordeur staat nog steeds open.
'HELP,' krijst Niels door de gang. Zo snel hij kan,
rent hij weg, de straat in. Achter een struik ver-
stopt hij zich.
Hè, hè, nu wordt het pas leuk.
Chris komt naar buiten. Hij staat nu wijdbeens op
straat.
'Hé Britt, de deur stond open,' roept hij.
Niels is ontvoerd, moeten ze nu wel denken. Goed
zo, lekker puh!
Nu zoenen ze tenminste niet.

Het hek knerpt. Hier is het wel erg donker. Maar
dat geeft niet, want Niels kent de weg. Hier gaf
hij vaak brood aan de eenden. Zouden de schapen
er nog rondlopen?
Net doen of het dag is.
In de verte klinkt de roep van een vogel.

Niels neemt wat kleinere passen. Oppassen nu, op
het pad blijven.
Hier vinden ze hem vast niet. Er trekt een brede
grijns over zijn gezicht. Eigen schuld, moet ze
maar beter oppassen.

5 Ogen in de nacht

Hoe lang is hij al weg? Niels heeft geen idee. Is
hij misschien te ver gegaan? Wat, als ze hem niet
kunnen vinden?
Dan toch maar terug?
Het is veel te donker. Er slaat een tak in zijn
gezicht. Pal voor zijn voeten vliegt een vogel op.
Niels schrikt ervan. Zijn voet zwikt op het smalle
pad. In één klap ligt Niels op de grond, met zijn
hoofd in een struik. Er krast iets scherps over zijn
gezicht. Au! Dat doet pijn.
In zijn paniek probeert hij overeind te komen.
Een warm straaltje zakt langs zijn wang omlaag.
Bloed!
Niels worstelt met de struik.
'Britt!' gilt hij.
Ineens slaat de schrik toe. Wat zei Britt ook

alweer? Gnomen. De aardgeesten! Die zitten in het bos. Dit lijkt erg veel op een bos. Zitten de gnomen nu naar hem te loeren? Met van die enge koppen? Duiken ze straks bovenop hem? Niels wil gillen. Maar er komt alleen een rare piep uit zijn keel.

Ineens zijn ze daar, ogen in de nacht recht voor hem. Niels' adem stokt in zijn keel.
De ogen komen steeds dichterbij. Hij hoort een zacht gesnuif.
Niet bewegen. Geen geluid maken. Niet kijken. Niels staat stokstijf als een standbeeld.
Hij voelt iets tegen zijn hand. Het is nat en harig.
'Hé,' klinkt het op een afstandje, 'wat doe jíj hier?'
Het is een meneer met een hond, een zwarte hond. Het dier kwispelt met zijn staart.
'Ik... ik eh...' stottert Niels.
'Wat doe je hier zo laat nog? Moet jij niet in bed liggen?' vraagt de man.

De hond vindt het wel leuk. Hij springt tegen
Niels op.
Zijn tong likt over Niels' gezicht.
'Getsie,' zegt Niels. Met zijn hand veegt hij de
hondenzoen weg.
'Waar woon je? Hier in de buurt?' De meneer wijst
naar Niels' pyjamabroek. 'Was je aan het
slaapwandelen?'
Niels knikt verlegen. 'Ik denk het wel. Ik ga maar
weer.'

Even buiten het hek, begint Niels te rennen.
'Hé, wacht nou,' roept de meneer.
Niels doet of hij het niet hoort. Maar de hond
holt mee.
'Ga weg, hond,' sist Niels, 'ga naar je baas.' Maar
de hond denkt dat het een spel is. Met gemak
houdt hij Niels bij. Tijdens het hollen hapt hij
naar Niels zijn broek.
Nu rennen ze alledrie. Niels met de hond.
Daarachter de man.
Niels vliegt de hoek om.

Bonk! Met een klap dreunt hij tegen iets hards.
Een reus vangt hem op en klemt hem vast.
Het is Chris.
'Hebbes,' zegt hij.

6 Genade met slagroom

Britt haalt een nat watje over zijn gezicht. Ze is boos. Ze veegt veel te hard.

'Ik ben me wild geschrokken,' zegt ze. 'Wat moet ik nu zeggen als je pap en mam vragen of je lief was?'

'Niks,' piept Niels.

'Waarom doe je zo gek? Dat doe je anders nooit.'

'Het was een geintje.'

'Leuk geintje,' moppert Britt. 'Ik wilde de politie al bellen.'

Niels zegt niets meer. Hij buigt zijn hoofd. Dat is het beste. Britts vriend staat tegen het aanrecht geleund.

'Het was echt niet slim van je. Dat doe je toch nooit meer, hè?'

'Anders kom ik niet meer,' voegt Britt eraan toe.

Britt kwijtraken? Dát was niet het plan.
'Genade,' fluistert Niels.
'Genade wat?' vraagt Britt streng.
'Genade met slagroom,' zegt Niels zacht. Hij loert
stiekem naar Chris. Die bijt op zijn lip, ziet hij.
Nu pas durft Niels weer te lachen.
'Nee, ventje,' buldert Chris. 'Haal die grijns maar
van je gezicht.' In één zwaai sleurt hij Niels op
zijn rug. 'Naar boven, makker.'

Chris dendert de trap op. In de slaapkamer smijt hij Niels op zijn bed. Niels stuitert een paar keer op en neer.

'Nog een keertje,' zegt Niels.

Chris zet zijn handen naast Niels' zij. Dan duwt hij zo hard op de matras, dat Niels bijna van zijn bed rolt. Hij gilt het uit van de pret.

Britt staat bij de deur. Ze lacht gelukkig weer.

'Zeg je niets tegen pappa?' vraagt Niels.

Britt gaat op de rand van het bed zitten.

'Gek jong,' zegt ze, 'weet je wel hoe bang ik was?'

'Dacht je dat ik was ontvoerd? Ja hè?'

Britt grinnikt. 'Nee hoor,' zegt ze, 'wie wil er nou zo'n maf kind?'

Ze gaat staan. Bij de deur blaast ze een kusje naar hem.

'Britt...'

'Wat?'

'Niks.' ♠

7 Kanjer met kippenvel

Het is nog vroeg. Zaterdagmorgen is het. Dat
betekent voetbal vandaag. Wat was er ook alweer?
O ja, Chris heeft Britt gezoend. Ineens is Niels
klaarwakker. Hij was boos weggelopen. Heeft
Britt het aan zijn ouders verteld?
Hij schiet zijn bed uit. Zijn kleren voor de voet-
balwedstrijd liggen al klaar. De broek sleurt hij
aan een punt van de tafel. Wat is dat? Er dwarrelt
een papier op de grond.
Niels raapt het op en leest het.
Britt, ik vind je stom! staat erop. Dat heeft hij in
woede geschreven.
Hé, er ligt nóg een brief op tafel. Er staat iets op,
in hele grote koeienletters.
Ik vind jou wél lief, leest Niels hardop. Ze heeft er
een groot hart omheen gemaakt. En daaronder

staat de naam van Britt.

Hij krijgt er een kleur van. Ze is dus nog op zijn kamer geweest.

In een paar tellen is hij aangekleed.

'Mam!' gilt hij, 'ik moet weg.'

Zijn moeder is al in de keuken. Ze smeert brood.

'Hé,' zegt ze, 'hoe kom je aan die kras op je wang?'

Niels voelt aan de kras. 'O, da's niks,' mompelt hij, 'er zat een mug op mijn wang. Ik heb mezelf gekrabd.'

'Dat is vreemd,' zegt zijn moeder. 'Muggen in deze tijd van het jaar?'

Ze fronst haar wenkbrauwen.

'Wat zei Britt?'

'Britt?' herhaalt zijn moeder. 'Hoezo? Britt zei niets. Hoezo? Is er iets gebeurd?'

Niels schudt zijn hoofd. 'Nee, zomaar.'

Het is koud op het veld. Kippenvel op zijn benen. Niels rent achter de bal aan. Scoren wil hij. Maar die andere jongen is hem steeds te snel af.

'Kom op, Niels,' schreeuwt zijn vader. Hij staat
aan de kant. Naar voren! gebaart hij.
Alsof hij dat niet weet! 'Het gaat niet,' snauwt
Niels.
Daar klinkt de fluit, het is pauze.
Niels sjokt naar de zijlijn. Alles gaat fout.
'Hé, Niels,' klinkt het vlakbij. Het is Britt. Ze
heeft Chris bij zich. Hij heeft een heel stoer jack
aan.
Niels krijgt een kleur. Ze hebben dus gezien dat
hij stond te krukken. Wat erg!
'Kom eens,' wenkt Chris. Hij gaat op zijn hurken
bij Niels zitten.
Nu zijn ze even groot.
'Je moet meer buitenom spelen,' zegt Chris. 'Niet
door het midden. Je bent veel sneller dan die
ander.'
Niels haalt zijn schouders op. 'Nou en,' mompelt
hij.

Na de pauze gaat het beter. Britt kijkt naar hem.
Nu móet hij wel rennen. Hij doet wat Chris heeft

gezegd. Ineens lukt het. Hij scoort het eerste en
enige doelpunt.
Britt juicht, haar armen gaan in de lucht. Niels
ziet alleen haar.
Na afloop zoent ze hem op zijn wang. 'Kanjer!'
zegt ze.
Chris geeft Niels een dreun op zijn arm. 'Zie je
wel dat je het kunt?'
'We hebben iets voor je,' zegt Britt. Ze loopt naar
de kant. Uit haar tas haalt ze een rond pak.
'Een voetbal?' juicht Niels.

Britt knikt. 'Omdat je gisteren zo boos was.'
Niels laat zijn hand over de bal gaan. Hij durft
haar niet aan te kijken.
'Leuk?' vraagt Chris. Hij slaat zijn arm om Britt.
Niels knikt. Hij kijkt schuin omhoog naar Chris.
'Jullie gaan hier toch niet zoenen, hè?'
Nu krijgt Britt een kleur. 'Zoenen?'
'Ik heb het zelf gezien.'
'Stiekemerd,' zegt Chris. Hij lacht. 'Je hebt staan
kijken.'
Snel draait Niels zich om. 'Pap,' gilt hij, 'kijk eens
wat ik heb gekregen!'

8 Een nieuw meisje

Juf Annegreet staat nog op de gang. Ze praat met
iemand.
Het is maandag. Niels zit al in de klas. Hij geeuwt.
Was het maar weer weekend. Dan komt Britt weer
kijken. Die Chris valt wel mee. Hij is best stoer.
Hij kan keihard schieten. Niels heeft het zelf
gezien. Zoals hij een bal in het doel kan rammen!
Was hij maar zo groot als Chris. Geen wonder dat
Britt hem leuk vindt.
De juf loopt de klas in. Ze heeft een meisje bij
zich.
'Dit is Tessa,' zegt ze. 'Ze is nieuw en – '
'Nee hoor,' zegt het meisje, 'ik ben niet nieuw. Ik
ben al zeven.'
Dat is leuk, vindt Niels.
'Je hebt gelijk,' zegt de juf. 'Ik zeg het fout. Je

bent nieuw hier op school.'
Tessa knikt. Haar haar wipt mee.
De hele klas staart naar haar. Maar daar zit Tessa
niet mee.
'Waar mag ik gaan zitten?' vraagt ze. 'Bij het raam?
Daar? Hoe heet hij?' Ze wijst naar hem!
'Hij heet Niels,' zegt juf. 'Niels, jij mag Tessa zeg-
gen waar alles staat.'

Niels kijkt naar opzij. Tessa heet ze dus. Ze heeft
donker haar, maar soms lijkt het rood. Zoals nu,
als de zon erop schijnt. Op haar neus zitten allemaal sproeten.

Ze is grappig, vindt Niels. Als ze lacht moet hij
vanzelf ook lachen. Hij kijkt nog een keer.
'Let je ook op, Niels?' zegt juf. 'Het is nu bijna
feest op school. Bij het dansje hoort ook een
versje. Dat gaan we nu oefenen. Het versje voor
de elfjes gaat zo...'
Juf Annegreet leest het voor:
> *'Teer en blank als manestralen,*
> *dansen wij in de zomernacht.*
> *Nergens is het licht zo helder,*
> *nergens is het mos zo zacht.'*

Niels zucht. Was hij maar zo groot als Chris. Die
hoeft vast geen versjes meer te leren.
'Juf, wat zijn dat?' vraagt hij. 'Maneschapen?'
Dát vindt Jos leuk. 'Ha, dansende schapen.'
'Maneschapen... bèh, bèh,' doet Niels.
Tessa moet ook lachen, ziet hij. Maar de juf niet,
die kijkt boos naar hem.
'Niks schapen,' zegt ze. 'Het is een mooi vers. Het
gaat over de elfjes. Stel je voor, de kabouters
staan in een kring. Er ligt een dik pak mos in het
bos. De maan straalt door de bomen. Daar komen

de elfjes. Ze gaan dansen, heel licht en sierlijk.'
Juf doet het voor. Ze gaat op haar tenen staan.
Haar armen tilt ze langzaam omhoog. Ze danst.
'Bèh, bèh,' doet Niels een schaap na.
Juf krijgt een kleur. 'Niels,' zegt ze, 'dat vind ik
niet echt leuk. Wat is er toch met jou?'
Niels haalt zijn schouders op.
Het is Jos die antwoord geeft. 'Dansen is niks
voor jongens, zegt Niels. Het is niet stoer.'
'Dansen is niet stom,' zegt Tessa, 'dansen is juist
leuk. Ik zit al twee jaar op ballet. Kijk maar.' Ze
gaat voor de klas staan. Daar gooit ze haar been
omhoog. Haar voet steekt kaarsrecht de lucht in.
Dan draait Tessa als een tol in het rond. Ze landt
op de grond. Het ene been links, het andere
rechts.
'En dit is de split,' zegt Tessa.
'Zo hé,' verzucht Niels, 'da's echt gaaf.'

9 Zoenen en zo

'Juf Annegreet heeft gebeld,' zegt moeder. 'Ze
zegt dat je zo dwars bent. Je doet niet mee met
het dansje. En je doet zo raar in de klas.'
Niels propt een stuk brood in zijn mond.
'Bom bansje,' mompelt hij.
'Dom dansje, of niet,' zegt moeder. 'Je doet toch
maar je best.'
'Mooi niet,' bromt Niels.
'Juf zegt dat je een reus wilt zijn.'
'Omdat een reus niet danst.'
Zijn moeder zucht. 'Je bent een rare. Nou ja, wie
weet...'
Niels schuift zijn bord weg. Hij heeft geen zin
meer in praten.
'Ik ga naar school,' zegt hij. 'Lekker voetballen op
het plein.'

Daar loopt Niels, hoofd gebogen. Was dat hele feest maar alvast voorbij.
Achter hem klinkt het geluid van een fietsbel.
Een hand drukt op zijn schouder.
Als hij opkijkt, ziet hij Chris. Die zit op de fiets.
'Hoi,' zegt Chris, 'moet je naar school? Wil je achterop?'
Niels knikt. 'Woon jij hier ook in de buurt?' vraagt hij.
'Vlakbij,' zegt Chris. 'Weet je waar de dokter woont?'
Ja, dat weet Niels wel. Daar is hij laatst nog geweest.
'Daarnaast,' zegt Chris. 'op nummer 10, daar woon ik.'
Wat kan die Chris hard fietsen. Het duurt maar een paar tellen, dan zijn ze er.
Het hele plein is nog leeg.
'Zo,' zegt Chris, 'alles goed met je?'
Nu kan hij het vragen! 'Ga jij nu trouwen met Britt?' De vraag knalt eruit.
'Trouwen?' Chris schiet in de lach. 'Welnee, gekkie.

We hebben verkering. Da's alles.'

'Wat doe je dan?' wil Niels weten. 'Als je verkering hebt, bedoel ik.'

Chris krabt aan zijn hoofd. 'Eh... nou dan loop je hand in hand.'

'Ja... Wat nog meer?'

'En je gaat met haar naar feestjes. En dan dans je samen, heel dicht bij elkaar. Dat is leuk.'

'Dansen? Jij? Dans jíj ook?'

'Ja, dat is leuk, hoor.'

'Dansen is voor meiden.' Niels weet het zeker.

'Nee hoor. Dansen met z'n tweeën is heel leuk.'

Niels haalt zijn schouders op.

'En verder?'

'Nou eh... je geeft elkaar kusjes.'

'En je zegt dat je haar lief vindt?'

'Ja, natuurlijk, dat ook, heel vaak zelfs. Dat vinden meisjes fijn.'

Nu wil Niels álles weten.

'En dat zoenen en zo, hè?'

'Eh...' doet Chris. 'Nou ja, alleen als je echt verliefd bent.'

'Hoe lang?'

'Hoe lang een zoen duurt?' Chris denkt na. 'O, een half uur ofzo.'

Niels mond valt open. 'Zo lang?!'

Chris houdt hem voor de gek, ziet hij. 'Nee, gekkie, natuurlijk niet.'

'Moet ik dat later ook?' vraagt Niels benauwd.

Chris bekijkt Niels van top tot teen. Niels' hoofd komt tot zijn middel.

Hij zet zijn fiets tegen de muur. In één tel zweeft Niels ergens tussen hemel en aarde. 'Als je zó groot bent,' zegt Chris. 'Maar nu moet ik zelf naar school.'

Zijn lange been zwaait over het zadel.

'O ja,' zegt hij dan, 'jij bent Britts eerste liefde, zegt ze.' Hij zucht. 'Ik ben maar nummer twee.'

Nu moet Niels lachen. Hij wuift nog als Chris al weg is.

'Dat wist ik wel,' zegt hij zacht. ▲

10 Een reus

Juf heeft een verrassing. Ze wil nog niet zeggen
wat het is.
De hele klas moet naar de gymzaal.
'Kijk,' zegt juf Annegreet. Ze gooit de deur open.
'Alles is klaar.'
Daar ligt het. Een stapel mutsen en baarden. En
daar liggen de vleugels voor de elfjes.
Tessa rent er als eerste op af. 'Wat gaaf!' gilt ze.
'Ik wil ook vleugels.'
'Wacht,' zegt juf, 'dan is er nog iets, iets leuks
voor Niels.'
Niels' ogen worden groot van schrik. Wat nu
weer?
Juf loopt naar een kast. Ze houdt een groot pak
in de lucht.
Het is bruin en harig.

'Wat leuk! Wat is het, juf?' vraagt Ludie.

'Een pak voor de reus!' Juf laat het vol trots zien.

'Voor Niels. Ik heb het zelf gemaakt.'

Ze gaan allemaal om hem heen staan. 'Doe eens aan, Niels.'

'Er kwam toch geen reus in voor?' zegt Niels. Hij vindt het maar niks. Het pak lijkt op het vel van een beer.

'Ik dacht dat je het leuk vond,' zegt juf. 'We doen net of de reus in het spel hoort. Dan mag jij grommen en boos doen.'

Jos hangt over zijn schouder. 'Pas aan, Niels,' schreeuwt hij in zijn oor.

Niels krijgt het al warm bij de gedachte. Dansen is niks. Maar dít is veel erger! Had hij nu maar niets gezegd.

Juf doet de rits open. 'Stap er maar in,' zegt ze. Nu moet hij wel.

Het pak hangt om zijn lijf. Het is véél te groot. 'Pff, ik stik nu al.'

Jos rolt bijna om van de lach. 'Je lijkt wel een aap!'

Zo snel hij kan, trekt Niels het pak weer uit.
'Het kan echt niet.' Hij puft en zucht. 'Sorry, juf.'
'Ja. Je verdrinkt erin,' zegt juf. Ze vindt het
jammer. Niels ziet het aan haar gezicht. 'Wat nu?'
Dan krijgt Niels een idee. 'Jos,' zegt hij, 'Jos is
groter dan ik. Hij kan de reus zijn.'
Jos staat al klaar. 'Kom maar op,' zegt hij. 'Ik ben
de grootste van de klas. Ik ben de reus. Ik vreet
elfjes.'

'Nee,' zegt juf, 'elfjes zijn niet om te eten.'
Ineens doet Ludie een stap de kring in.
'Waarom hij? Ik ben óók groot,' zegt ze. 'Mag ík de
reus zijn? Het hoeft toch geen jongen te zijn?'
Juf denkt na. 'Ja,' zegt ze, 'dat is waar. Waarom
ook niet? Mij best.'
Niels kan wel juichen. 'Dat vind ik ook,' zegt hij.
''t Is een reuze idee. Ludie moet de reus zijn. Laat
eens horen, Lu. Grom eens zo hard als je kunt?'
Ludie steekt haar benen in het pak. Het zit haar
als gegoten.
Ze brult zo hard dat Niels ervan schrikt.
'Heb ik nu de hoofdrol?' vraagt ze.
Ja, knikt Niels. Hij steekt zijn duim omhoog.
'Dan gaan we nu weer oefenen,' zegt juf. 'Nog een
paar dagen, dan is het zover. Niels, ga jij dan
maar met Tessa dansen.'
Ze geeft hem een knipoog.
Yes, denkt Niels. Nooit meer plakhanden. Juf is
een schat. Niels weet het zeker.

11 'Ik vind je lief'

Hij pakt Tessa's hand. Ze trekt haar hand niet
terug. Ze lacht zelfs naar hem. Dat geeft Niels
moed. Hij pakt ook haar andere hand. Nu staan ze
bijna neus aan neus.
De juf zet de muziek aan. De klanken rollen de
klas in. Niels wordt er meteen blij van. Hij voelt
kriebels in zijn buik.
'Ik vind je lief,' zegt hij. Het floept zomaar uit
zijn mond.
'Kom op,' zegt hij. Zijn voeten moeten dansen. Hij
trekt Tessa mee.
Dat vindt ze leuk. Samen dansen ze door het
lokaal. Tessa's gezicht straalt van plezier. 'Harder,'
zegt ze.
'Goed zo,' roept de juf, 'jongens, kijk eens naar
Niels en Tessa.'

Nu zijn er meer kinderen die durven. De juf doet
ook mee. Ze geeft Ludie en Jos een hand. Met z'n
drieën maken ze rondjes.
De muziek wordt steeds wilder. Niels en Tessa
dansen mooi op de maat.
'Leuk hè?' hijgt Niels.
Tessa knikt. Haar haar wipt wild op en neer.
Het lijkt wel of ze alleen zijn. Samen alleen in
een zee van klanken.
Ineens bonkt Jos met zijn rug tegen Tessa. Bijna
verliest ze haar evenwicht. Maar Niels vangt haar
op. Haar gezicht is pal voor het zijne.
Ze kijkt hem aan met die grote ogen. Wat is ze
toch leuk.
Niels knijpt zijn ogen dicht. Dan geeft hij haar
gauw een kusje, precies op haar wang.
Nu hebben we verkering, denkt Niels. De muziek
valt stil.
Maar in Niels' hoofd barst een orkest los.

12 Het is uit

Er is iets met Britt. Ze lacht niet. Niet één grapje
maakt ze. Niels legt de washand neer. Britt merkt
niet eens dat die nog droog is.
'Wat is er?' vraagt Niels. 'Ben je boos op mij?'
Britt staart naar hem. 'Op jou? Nee hoor.'
'Wat is er dan?'
'Niks.'
'Wel waar. Ik zie het toch?'
'Ik baal gewoon.'
'Waarom?'
'Ach.' Ze gaat op zijn bed zitten. 'Het is uit met
Chris. We hebben ruzie gehad. Hij is boos op mij.'
'Waarom had je ruzie? Om mij?'
'Nee, joh. Laat maar,' zegt Britt. 'Waar is je boek?
Zal ik je voorlezen?'
Niels geeft het boek. Maar hij hoort niets van het

verhaal. Steeds kijkt hij naar haar gezicht. Ze is
zó verdrietig.
Britt slaat het boek dicht.
'Trusten, lieve Niels,' zegt ze bij de deur. 'Droom
maar fijn.'
Dat is raar, denkt Niels. Eerst wilde hij Britt voor
zich alleen. Hij wilde dat Chris verdween. Maar
nu, als Britt zo triest is... Zo is er niets aan. Ze
moet weer blij zijn. Maar hoe krijg je dat voor
elkaar?
Wel een uur ligt hij wakker.
Wat doet Britt nu? Het is heel stil beneden. Niels
gaat kijken. Ze zit op de bank.
Britt, ík vind je wél lief. Dat wil hij zeggen. Maar
daar heeft ze niets aan. Ze mist Chris. Die moet
haar ook weer lief vinden.
Dan komt er een slim plan in zijn hoofd.

De volgende dag staat Niels vroeg op.
Zijn moeder snapt er niets van. 'Ga je nu al?'
vraagt ze.
Niels knikt. Hij moet iets heel belangrijks doen.

In zijn hand heeft hij een brief. Hij heeft de
naam van Britts vriend er opgezet. Het is een
brief met een groot hart.
Ik vind jou wél lief staat erop. De naam van Britt
staat eronder.
Het is de brief die zij aan Niels schreef. Maar dat
weet Chris niet.
Chris woont naast de dokter, zei hij. Dat is een
makkie. Op nummer tien, weet Niels nog.
Daar is het huis al. Niels vouwt de brief twee keer.
Zo kan hij door de brievenbus.
Niels duwt het klepje omhoog. De brief valt op de
mat. Straks gaat Chris naar school. Dan vindt hij
de brief. Dan denkt hij dat de brief voor hém is.
Als Chris hem nu maar niet ziet. Niels rent de
straat uit.
Hij is zo trots als een pauw. Als dít niet slim is?

13 Feest

De ouders zitten al in de zaal. Juf Annegreet
loopt druk heen en weer. 'Je muts,' zegt ze, 'zet
snel je muts op.'
Jos' moeder helpt. Ze plakt de baarden op.
'Het pluist,' zegt Niels. 'Het kriebelt aan mijn
neus.'
Tessa heeft haar vleugels al. Ze draagt een wit
pakje. Van alle elfjes is zij de mooiste, vindt
Niels.
Ludie lijkt een echte reus. 'Maar het is wel warm,'
klaagt ze.
'Nog drie minuten,' zegt juf Annegreet. 'Denk erom,
eerst gaat de muziek aan. Pas daarna komen de
elfjes.'
Er hangt een groot gordijn. Tessa gluurt door de
opening.

'Het zit bomvol,' zegt ze.

Dan is het zover. Juf gaat voor het gordijn staan.
Ze zegt dat de klas heel hard heeft gewerkt.

'Het is een sprookje,' vertelt ze. 'De klas heeft het
zelf bedacht.'

Tessa grijpt Niels' hand. Ze knijpt er zacht in.
Daar zijn ze weer, de kriebels in zijn buik.

Juf Annegreet komt terug. Ja, knikt ze naar Jos'
moeder. 'Muziek aan.'

Juf trekt het gordijn weg. Het blijft steken. Juf
rukt en trekt nog een keer. Het helpt niet. 'Geeft
niet,' gebaart ze. 'Begin maar.'

De tien elfjes doen een stap naar voren.

'Oooh,' klinkt het vanuit de zaal, 'wat schattig.'
Niels kijkt de zaal in. Waar zitten ze nou, pappa
en mamma?

Daar, op de derde rij. Hij zwaait, hoewel juf nog
zó heeft gezegd dat dat niet mocht.

De elfjes beginnen te dansen. Tessa staat voor-
aan. Je kunt wel zien dat ze vaker danst. Ze is
heel lenig en soepel. Als elfjes bestaan, dan zien
ze er zó uit, denkt Niels.

Nu het versje. Juf zal knikken wanneer ze moeten
beginnen. Maar Kim begint te vroeg.
'Teer en blank als mane-,' begint ze. Verschrikt
houdt ze haar mond.
'Teer en bl-,' valt Joyce in.
'Teer en-.' 'Teer-.' 'Teer en blank.' Joyce krijgt de
slappe lach. Kim lacht nu ook hardop. Jos slaat
zich op zijn knieën van de pret. In de zaal wordt
ook gegrinnikt.
Tessa redt de zaak. Ze doet een stap vooruit. Dan
maakt ze een mooie draai. Haar stem is helder. Ze
kent het versje uit haar hoofd.
 'Teer en blank als manestralen,
 dansen wij in de zomernacht.
 Nergens is het licht zo helder,
 nergens is het mos zo zacht.'
Nu is het tijd voor de kabouters. Niels rent naar
Tessa.
Ze is van mij, denkt hij. Als ze dat nou maar zien
in de zaal.
Samen dansen ze. Niels doet enorm zijn best. Ziet
de juf het wel? En pappa en mamma?

Hij kijkt om, nét in een draai. Daar gaat hij. Zijn
voet haakt achter het gordijn. Niels smakt op de
grond. Zijn muts zakt tot op zijn neus.
Denkt hij het nou? Nee, het is echt waar. Hij
hoort zijn vader lachen. Boven alle herrie uit.
'Geeft niet,' doet juf in paniek, 'ga door.'
Daar is Ludie, de reus. Ze gromt en zwaait wild
met haar armen.
'Dit is mijn bos,' grauwt Ludie. 'Ik haat elven.'
Met grote passen loopt ze op Kim af. Die doet net
of ze bang is.

Daar is Jos. Hij vergeet dat het maar spel is.
Hij bonkt tegen Ludie op. De reuzin valt bijna
om. Ze grijpt om zich heen. Haar hand rukt aan
de baard van Jos.
'Au,' gilt Jos, 'geef terug.'
Jos beukt erop los. Maar dat pikt Ludie niet. Ze
haalt uit. Jos krijgt een flinke dreun. Dan struikelt
de reus over een elf. En Kim begint weer het
versje te zeggen. 'Teer en blank als...'
Tessa is een vleugel kwijt. Maar ze danst maar
door.

Nu is het een echte puinhoop.

Niels kijkt naar de juf. Die heeft haar handen voor haar gezicht.

Maar de zaal ligt plat.

Ludie en Jos rollen over de vloer. De reus en de kabouter. Wie wint? Samen duiken ze het gordijn in. Dan knapt het gordijn. Het valt bovenop de juf.

In de zaal barst het applaus los. Ze gaan allemaal staan. En ze klappen, klappen... Er komt geen eind aan.

Dan pas ziet Niels haar. Britt staat in de rij midden in de zaal. Ze lacht voluit. En naast haar staat Chris.

Ze zijn weer samen!

Chris buldert van het lachen. Hij steekt zijn duim op. Het was zó!

'Wat was dát leuk,' zegt Niels' vader. 'Ik heb nog nooit zo'n lol gehad. Niels, jongen, dat wist ik niet, dat toneel zo grappig kon zijn.'

Niels neemt een slok van de cola. 'Ja,' zegt hij,

'het was best gaaf.'

'Dat ene meisje,' zegt Niels' moeder, 'wat een schatje was dat. Die had ik nog nooit gezien.'

'Dat is Tessa,' zegt Niels. 'Ze is nieuw. Ze is heel lief.'

Juf Annegreet is dik tevreden. Ze schudt handen. Ze heeft een rood hoofd. Maar ze ziet er heel blij uit.

Ludie heeft het pak half uitgedaan. Het zit nu om haar middel. Jos zit naast haar. Hij heeft zijn arm om Ludie. Zijn baard hangt onder zijn kin.

'Je was reuze goed, Lu,' zegt Jos.

Ludie knikt hard. 'Ik had echt de hoofdrol, hè?'

Waar is Britt nou? Ze is toch niet al weg?

Niels zet de cola neer. Hij moet Britt zoeken. Ze zijn weer samen, zij en Chris. Nu is ze weer blij. Dat komt door hem!

Aha, daar zijn ze. Chris staat met zijn rug tegen de muur. Britt leunt tegen hem aan.

'Hoi,' zegt Niels. 'Heb je nu geen ruzie meer met hem?'

Britt schudt haar hoofd. 'Nee het is weer aan. Goed hè?'

Chris geeft hem een klap op zijn schouder. 'En weet je hoe dat komt?' vraagt hij.

Niels doet net of hij van niets weet.

'Dat is het werk van een kabouter.'

'Hoezo?' vraagt Niels.

'Ja, een heel slimme kabouter,' zegt Britt.

Chris haalt de brief uit zijn zak.

'Ik heb me suf gelachen,' zegt hij. 'Ik wist meteen dat jij het was.'

'Hoe kan dat nou?'

'Hierom.' Chris wijst naar de naam op de brief. 'Je had er Kris op gezet, met een K.'

'Hij belde me meteen op,' zegt Britt. 'En nu is het weer aan.'

'Gaat het nu niet meer uit?' wil Niels weten.

'Vast niet,' zegt Chris.

'Ik heb óók verkering.' Niels flapt het er zomaar uit. 'Dat is ze.'

Hij wijst naar Tessa.

Tessa's vleugels zitten weer op haar rug. Ze heeft

een been in de lucht. Met haar hand houdt ze
haar been vast.
'En ze kan ook de split.'
'Wat een leuk kind,' zegt Britt. 'Wat is ze lenig! Ik
wou dat ik dat kon.'
'Geeft niet, hoor,' zegt Niels. 'Ik vind jou zo ook
wel lief.'
Dan rent hij weg.
'Tessa,' schreeuwt hij, 'doe de split nog eens.'

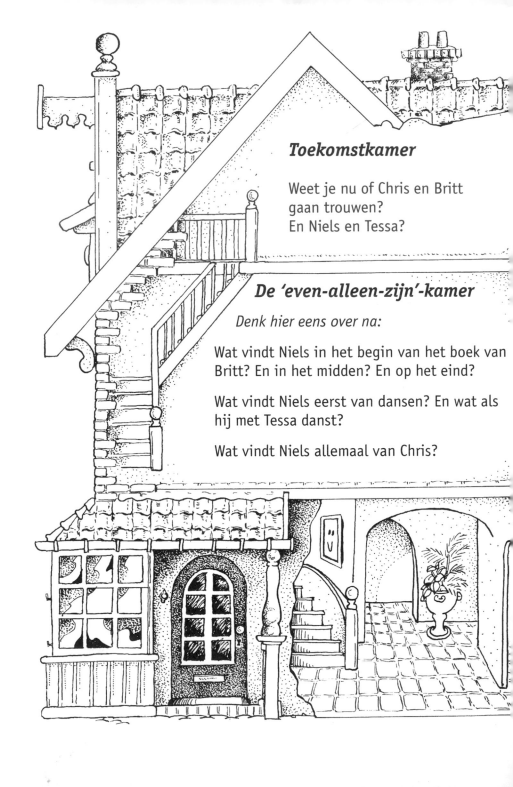

Toekomstkamer

Weet je nu of Chris en Britt
gaan trouwen?
En Niels en Tessa?

De 'even-alleen-zijn'-kamer

Denk hier eens over na:

Wat vindt Niels in het begin van het boek van
Britt? En in het midden? En op het eind?

Wat vindt Niels eerst van dansen? En wat als
hij met Tessa danst?

Wat vindt Niels allemaal van Chris?

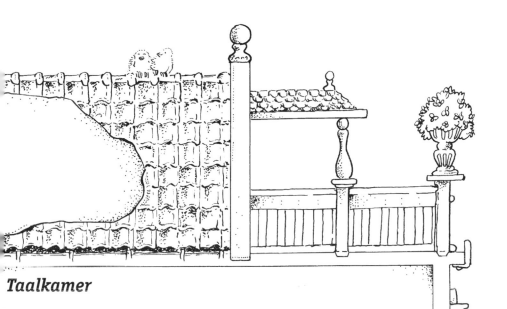

Taalkamer

De muziek valt stil.
Maar in Niels' hoofd barst een orkest los.
Waarom horen deze zinnen toch wel bij elkaar?

Niels vindt het boek zo taai als stroop.
Maar dat geeft niet. Het is zo heerlijk knus samen met Britt.
En waarom horen deze bij elkaar?

De voorstelling wordt een echte puinhoop.
De juf heeft haar handen voor haar gezicht.
Maar de zaal ligt plat.
En deze?

*Reina ten Bruggenkate schreef een e-mail
aan alle lezers.
Lees maar op de volgende bladzijde.*

Van: reinatenbruggenkate@mail.com
Aan: <alle lezers van Villa Alfabet>
Onderwerp: Kriebels

's Avonds laat. Het is donker in huis. Alleen in mijn werkkamer zijn de lampen aan. Onze hond Bobo slaapt aan mijn voeten. De kat Moppie ligt opgerold op bed. Tijd om te schrijven!
In mijn hoofd is het hele verhaal al klaar. Het is net een film. Nu moet het nog woorden krijgen. Soms schrap ik iets en begin opnieuw. Net zo lang tot het verhaal precies laat zien wat ik in mijn hoofd heb.
Dat is het leuke aan schrijven. Het boek moet spannend zijn, maar ook om te lachen. Jullie moeten steeds benieuwd zijn naar de volgende bladzijde. Dan pas ben ik tevreden.

'Kriebels' gaat over het gevoel dat je krijgt als je iemand erg leuk vindt. Dit boek heb ik geschreven omdat ik denk dat iedereen wel eens de kriebels krijgt. Of je nu zes jaar, zestien of zestig bent.
Ik was zelf zes of zeven jaar toen mijn vriendje ineens een ander meisje op zijn step mee naar huis nam. Wat was ik verdrietig en boos!
Toen was ik nog te klein om over dat gevoel te schrijven. Dus daarom heb ik het nu pas gedaan.

Reina ten Bruggenkate

Villa-vragen

▲ *Vragen na hoofdstuk 3, bladzij 25*
1 Waarom vindt Niels het leuk dat z'n vader en moeder vaak weg moeten 's avonds?
2 Waarom denkt Niels bij het kabouterdansje aan Britt?
3 Wat vind jij van Chris?

▲ *Vragen na hoofdstuk 6, bladzij 36*
1 Wil Niels écht dat Britt en Chris hem niet vinden als hij in het donker loopt?
2 Is het weer helemaal goed tussen Britt en Niels?

▲ *Vragen na hoofdstuk 9, bladzij 49*
1 Stoer hè dat Niels het versje van de juf belachelijk maakt? Of niet...?
2 Waarom zou Britt tegen Chris zeggen dat hij nummer twee is en Niels haar eerste liefde?

▲ *Vragen na hoofdstuk 13, bladzij 67*
1 Wat heeft Niels geleerd van alles wat gebeurd is?
2 Vind je dat het boek een goede titel heeft?